SCANNÁN LE TOMM MOORE

AMHRÁN na MARA

SCÉAL LE WILL COLLINS

FOILSITHE AG CARTOON SALOON I BPÁIRT LE COISCÉIM

"Idir ann 's idir as,
Idir thuaidh 's idir theas,
Idir thiar 's idir thoir,
Idir am 's idir áit."

Thuas i dteach an tsolais, faoi réaltaí geala, canann Bronach Amhrán na Mara dá mac Ben atá cúig bliana d'aois.

Briseann tonnta boga in aghaidh na gcarraigeacha thíos faoi. Tá rónta ag bogadaíl ar bharr an uisce.

Tá Ben agus a Mham ag péinteáil pictiúr de bhanrónta, fathaigh agus sióga ar bhalla a sheomra leapa. Ba mhaith le Ben an seomra a bheith réidh don dearth   áir nó deirfiúr bheag a bheidh aige gan mhoill.

Tagann Conor, athair Ben, isteach. Tá am luí ann. Léimeann Cú, coileán mór clúmhach, suas ar Ben. Is cairde móra iad.

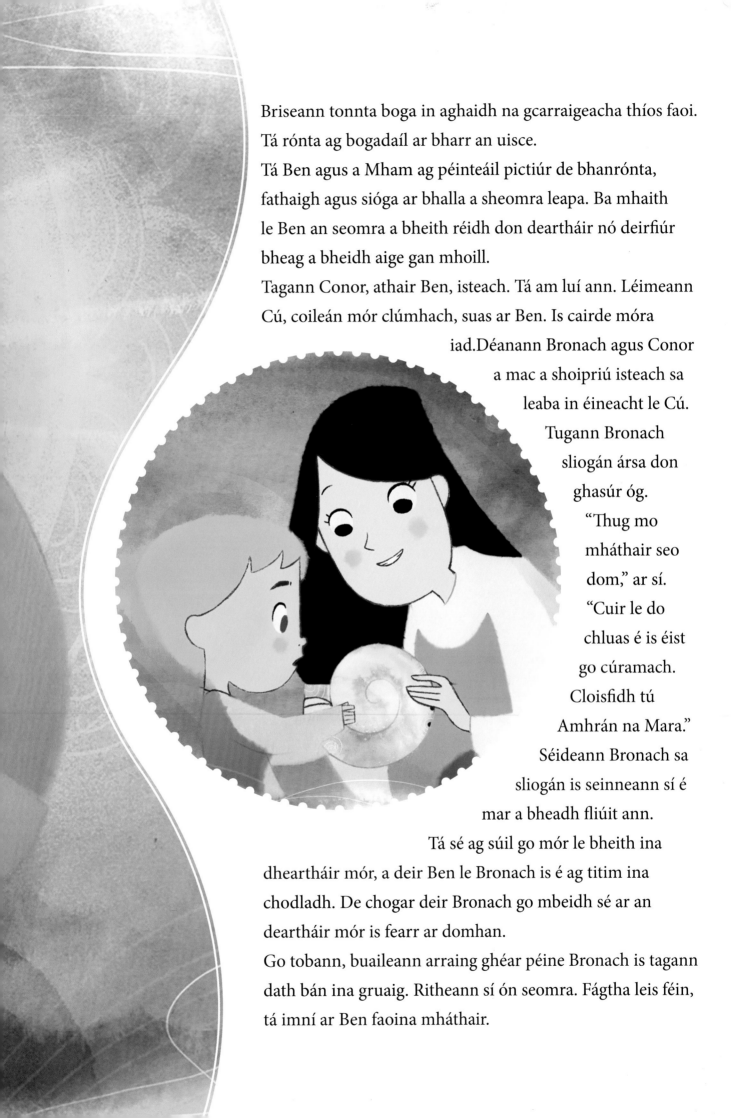

Déanann Bronach agus Conor a mac a shoipriú isteach sa leaba in éineacht le Cú. Tugann Bronach sliogán ársa don ghasúr óg.

"Thug mo mháthair seo dom," ar sí. "Cuir le do chluas é is éist go cúramach. Cloisfidh tú Amhrán na Mara."

Séideann Bronach sa sliogán is seinneann sí é mar a bheadh fliúit ann.

Tá sé ag súil go mór le bheith ina dhearth   áir mór, a deir Ben le Bronach is é ag titim ina chodladh. De chogar deir Bronach go mbeidh sé ar an dearthair mór is fearr ar domhan.

Go tobann, buaileann arraing ghéar péine Bronach is tagann dath bán ina gruaig. Ritheann sí ón seomra. Fágtha leis féin, tá imní ar Ben faoina mháthair.

In imeacht na mblianta tá gruaim tar éis titim ar theach an tsolais.

É gléasta i gculaith laoich, tá Ben ina shuí ar an trá, Cú lena thaobh, ag tarraingt pictiúr. Madra mór grámhar atá i gCú anois, lán clúmh agus líocha fliucha. Tá Ben ag tarraingt pictiúr de na síscéalta ar ghnách lena mháthair a insint dó: scéalta faoin fhathach Mac Lir agus an Seanchaí Mór.

Tá a dheirfiúr bheag, Saoirse, cromtha thar a ghualainn. Níl caint ar bith aici ach fós cuireann sí isteach ar Ben. Ní maith leis í a bheith ag análú síos a mhuineál.

Cuireann Ben an ruaig uirthi agus siúlann Saoirse i dtreo na farraige áit a fheiceann sí rónta. Tá na rónta ag glaoch uirthi. Siúlann an cailín óg amach san uisce chucu. Tá Cú ag iarraidh ar Ben dul ina diaidh ach tá eagla air roimh an fharraige. Go tobann, ropann Cú leis isteach san uisce i ndiaidh Shaoirse, ag tarraingt Ben ina dhiaidh tríd na tonnta, gach scread leis an ghasúr bhocht.

É fliuch báite, siúlann Ben Saoirse roimhe suas chuig Conor, atá caillte ina chuid smaointe brónacha féin. Tá Ben ag iarraidh ar Chonor pionós a ghearradh ar Shaoirse ach is beag aird a thugann a athair air. Tógann sé Saoirse ina ucht.

Amuigh ar an fharraige, tá an bád farrantóireachta ag teacht.
Tá Mairnéalach Dan i mbun an tsoithigh. Níl ach paisinéir
amháin aige, Mamó aosta ghránna ina carr beag cathrach.
Tá Mamó anseo le breithlá Shaoirse a cheiliúradh ach gan
mhoill tosaíonn sí ag gearán faoin tógáil atá na páistí ag fáil
i dteach an tsolais. Tá faitíos ar Ben go dtógfaidh sí iad chun
cónaí léi sa chathair.

Thuas i seomra na bpáistí, tá Mamó ag tabhairt ar Shaoirse gúna
míofar bándearg a chur uirthi. Nuair a fhágann Mamó an seomra
feiceann Saoirse sliogán speisialta Ben. Séideann leoithne gaoithe tríd
an sliogán agus baineann sé nóta binn ceoil as. Tá fearg ar Ben nuair a
fheiceann sé Saoirse lena shliogán agus baineann sé an sliogán di.

Ag cóisir an lá breithe, tá Mamó ag socrú ceamara le grianghraf de Shaoirse a ghlacadh ag séideadh amach na gcoinnle. Ach tá fearg fós ar Ben. Go díreach nuair atá Saoirse réidh leis na coinnle a shéideadh, brúnn sé a haghaidh isteach sa cháca. Cuirtear Ben chuig a sheomra leapa.

An oíche sin, téann Conor go tír mór le Mairnéalach Dan agus fanann Mamó le haire a thabhairt do na páistí. Insíonn Ben scéal scáfar do Shaoirse faoi Mhacha, Cailleach na nUlchabhán. Tá scéin ar Shaoirse bheag nuair a insíonn Ben di faoin dóigh a rinne Macha clocha de dhaoine trína mothúcháin a ghoid lena bprócaí draíochta. Rinne sí oileán cloiche dá mac féin, an fathach Mac Lir. B'fhéidir go ndéanfadh sí an rud céanna do Chonor.

"Ansin ní bheadh grá ag éinne duit," arsa Ben.

Téann Saoirse i bhfolach faoina pluideanna ag crith le heagla. Tá aiféala ar Ben.

An oíche sin, nuair atá gach duine ina gcodladh, téaltaíonn Saoirse amach as a leaba agus tógann sí sliogán Ben. Nuair a sheinneann sí air tagann drithleoga draíochta isteach an fhuinneog chuici.

Leanann sí na drithleoga draíochta chuig seomra Conor. Taobh thiar de phictiúr seanchaite de Bhronach, faigheann Saoirse eochair. Tógann na drithleoga í chuig prios, áit a aimsíonn sí bosca cianaosta i bhfolach ann agus leis an eochair osclaíonn sí é. Istigh ann tá cóta lonrach álainn bán. Cuireann sí uirthi an cóta agus damhsaíonn sí léi i ndiaidh na ndrithleog, ag seinm ar an sliogán i rith an ama. Treoraíonn na drithleoga síos staighre í, amach doras na cistine is síos chun na trá. Cuireann cuid rónta a gcloigne suas os cionn an uisce, á mealladh chucu. Leanann Saoirse na hainmhithe cairdiúla seo isteach san fharraige. Chomh luath is atá sí faoin uisce, déantar éan róin álainn bán di. Snámhann Saoirse leis na rónta, í lánghliondar. Ar fud na tíre tosaíonn ainmhithe draíochta, a bhí ina gcodladh le fada, ag bogadh. Ar tír mór, brúnn Conor a dheoch uaidh. I dteach an tsolais, músclaíonn Mamó, eagla mhór uirthi. Ritheann sí síos chuig an trá ina culaith oíche, ainm Shaoirse a scairteadh aici. Tagann sí ar an ghirseach, a cóta fós uirthi, caite suas ar an trá.

Filleann Conor ón teach leanna is faigheann sé Mamó trína chéile. Tá slaghdán ar Shaoirse. Ní fhágann Mamó de rogha ag na páistí ach teacht chun cónaí léi sa chathair. Tá uafás ar Ben nach mbeidh Cú ag teacht leo.

An oíche sin, cuireann Conor cóta Shaoirse faoi ghlas sa bhosca cianaosta agus caitheann sé isteach san fharraige shuaite é. Tá uafás ar na rónta ar a fheiceáil seo dóibh agus déanann siad tarrtháil ar an eochair agus í ag titim san uisce.

Le breacadh an lae, caithfidh na páistí slán a fhágáil ag Conor agus Cú. Tá Ben go mór trí chéile agus cuireann sé an locht ar Shaoirse. Sa charr, ar an bhealach chun na cathrach, cruthaíonn Ben léarscáil chun é a threorú ar ais abhaile.

Sroicheann siad an chathair dhuairc. Tá teach Mhamó in áit sheanaimseartha, nach bhfuil ró-oiriúnach do pháistí. Tá fuath ag Ben agus Saoirse air.

Oíche Shamhna atá ann agus tá páistí ag rith go fiánta ar fud na comharsanachta. Tagann neacha aisteacha a bhfuil cuma pháistí Bob nó Breab orthu amach as a n-áit fholaithe i lár timpealláin ghnóthaigh, tá an banrón deireanach a lorg acu.

Tá sé an-leadránach i dteach Mhamó. Cuireann Ben air a chluasáin is éisteann le rac-cheol le nach mbeidh air éisteacht le raidió Mhamó. Socraíonn Saoirse ar bhreathnú thart ar an teach.

Thuas i seomra Mhamó tagann Saoirse ar chóta clúimh seanchaite. Cuireann sí uirthi é agus seinneann ceol ar an sliogán. Amuigh sa chathair, meallann an ceol na páistí Bob nó Breab chuig Teach Mhamó.

Thíos sa seomra suí, titeann deoir uisce isteach i gcupán tae Mhamó. Téann sí suas staighre leis an scéal a fhiosrú. Cúpla bomaite ina dhiaidh sin cloiseann Ben scread ard. Ritheann sé go dtí an seomra folctha is feiceann Saoirse sa tobán, cóta Mhamó thart uirthi agus í fliuch go craiceann. Cuirtear Ben agus Saoirse a luí go luath a fhad is a ghlanann Mamó suas.

Caithfidh Mamó a cóta millte a chur sa bhruscar, ach baintear geit uafásach aisti nuair a thagann sí ar an trí pháiste Bob nó Breab i bhfolach ina bosca bruscair. Fiafraíonn siad di an í an banrón. Cuireann Mamó an ruaig orthu de scread. Tógann na páistí Bob nó Breab an cóta clúimh leo. Síleann siad go bhfuil cóta an bhanróin faighte acu.

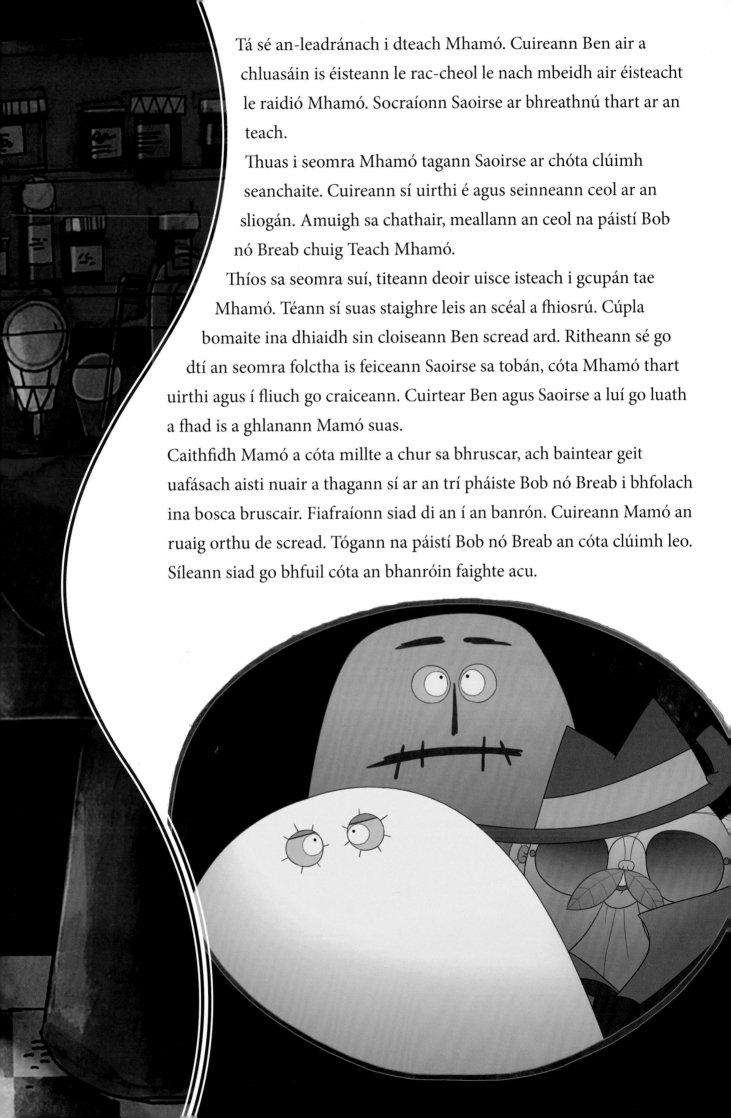

Éalaíonn Ben amach as an seomra leapa, tá rún aige filleadh ar theach an tsolais. Ach cloiseann Saoirse é agus leanann sí a dearthár amach ar na sráideanna. Nuair a sheiceálann Ben a léarscáil, mothaíonn sé í ag análú síos a mhuineál. Ordaíonn Ben di fanacht sa teach ach diúltaíonn Saoirse. Bíonn sé ina throid eatarthu. Ní shocraítear an cheist go dtí go gciceálann Saoirse a dearthár sa lorga.

Níl de rogha ag Ben ach í a thabhairt leis. Ceanglaíonn sé iall Chú léi le nach mbeidh sí ábalta níos mó trioblóide a chothú. Agus Ben ag iarraidh a bhealach a dhéanamh amach as an chathair, baineann Saoirse ceol as an sliogán, ag seinm Amhrán na Mara nóta amháin ag an am. Ansin gan choinne nochtar na páistí Bob nó Breab os a gcomhair.

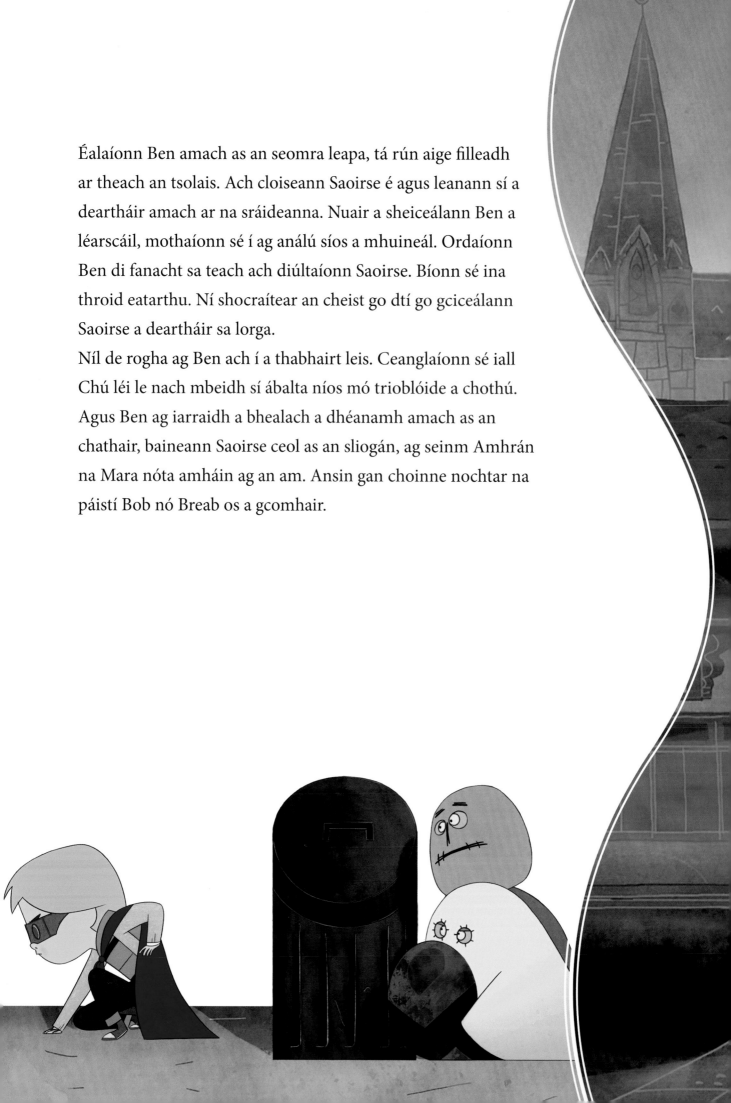

Tá lúchair ar an trí neach aisteach go bhfuil 'an banrón deireanach' aimsithe acu. Beireann siad ar Shaoirse agus ritheann siad léi ar ais chuig a n-áit fholaithe i bhfásra an timpealláin.

Tarraingítear Ben, atá fós ceangáilte le Saoirse, ina ndiaidh, é ag screadaíl. Is beag nach maraítear é nuair a roptar tríd an trácht é chuig an timpeallán. Aimsíonn sé slí isteach ach tá an iall briste ag an doras. Osclaíonn sé é agus téaltaíonn isteach.

Istigh, foghlaimíonn Ben an fhírinne faoi na páistí Bob nó Breab. Is sióga iad agus ceoltóirí iontacha lena chois, darbh ainm Lug, Mossy agus Spud. Creideann siad gur banrón í Saoirse agus go gcanfaidh sí amhrán a shaoródh an slua sí ó Chailleach ghránna na nUlchabháin, Macha.

I ndiaidh dóibh cúpla amhrán spraoi faoina gcuid eachtraí a chasadh, iarrann siad ar Shaoirse a hamhrán féin a chanadh. Cuireann siad cóta millte Mhamó thar a guaillí is fanann siad ar a ceol.

"Níl sí in ann canadh, níl caint aici fiú," arsa Ben ag siúl amach ina láthair.

Tá díomá ar na síóga, ach cuimhníonn Ben gur thóg Conor cóta Shaoirse. Tá sé fós i dteach an tsolais. Léimeann na síóga le háthas, níl le déanamh acu ach cóta Shaoirse a fháil di agus beidh sí in ann iad ar fad a shaorú ó dhraíocht Mhacha.

Gan choinne, tá bogadh sna craobhacha os a gcionn agus briseann ulchabháin Mhacha tríd na sceacha. Cuireann na síóga troid orthu, ach anuas leis na hulchabháin á dtiontú ina gclocha trína mothúcháin a cheapadh ina bprócaí draíochta.

Séideann Saoirse ar an sliogán agus bristear cuid de na prócaí.

Eitlíonn na hulchabháin ar shiúl, scanradh orthu.

Saortar cloigne na síóg ón chloch cé go bhfuil a gcoirp fós crua.

Míníonn siad do Ben go gcaithfidh sé cóta Shaoirse a fháil is go gcaithfidh sí a hamhrán a chanadh roimh mhaidin nó beidh deireadh leo ar fad.

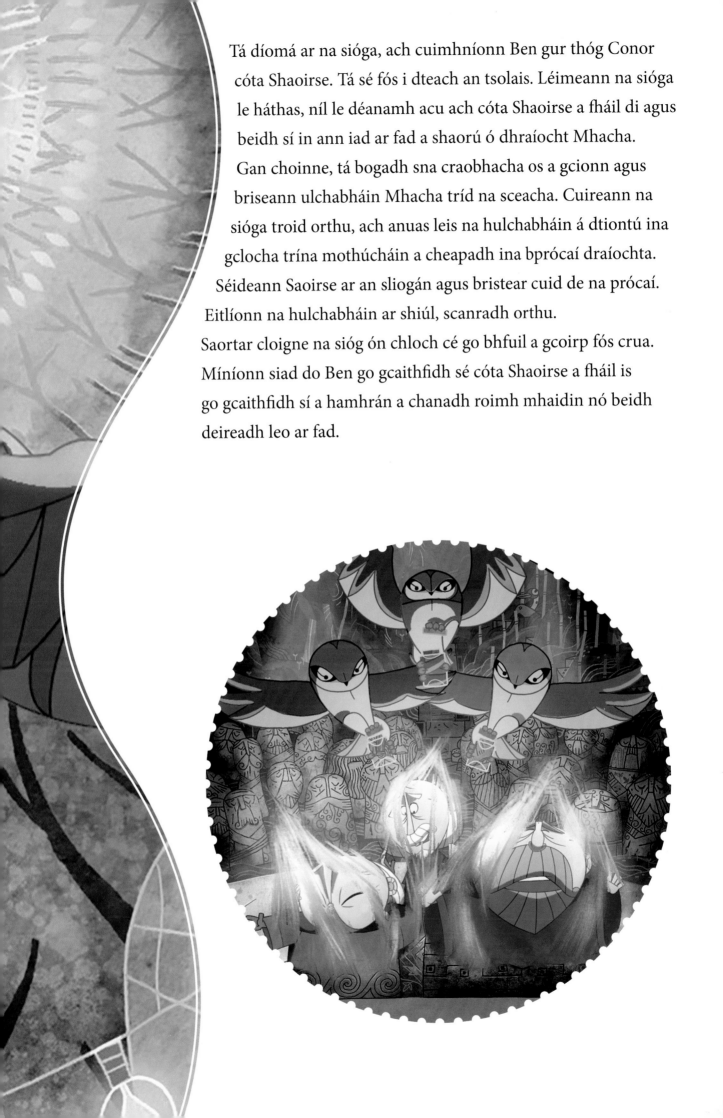

Éalaíonn Ben agus Saoirse amach as an chathair ar bhus atá lán le gnáthpháistí Bob nó Breab. Tuigeann Ben anois go bhfuil scéalta a mháthar fíor. An dtiocfadh le Saoirse a bheith ina banrón, mar sin?

Agus Ben ag meabhrú ar seo, amharcann Saoirse amach an fhuinneog. Feiceann sí na drithleoga beaga draíochta ag eitilt taobh leo. Ba mhaith léi na drithleoga a leanstan ach iarrann Ben uirthi fanacht san áit a bhfuil sí.

In áit sin, osclaíonn sí an doras éalaithe is tagann an bus chuig stad tobann scréachach. Fágann an tiománaí crosta na páistí leo féin amuigh faoin tuath. Seinneann Saoirse ar an sliogán is leanann na páistí na drithleoga.

Siúlann siad tríd an choill i ndiaidh na soilse beaga draíochta. Ach ansin, nuair a chloiseann Ben géag crainn ag briseadh, tá eagla air go meallfaidh ceol Shaoirse na hulchabháin ar ais chucu. Iarrann sé ar Shaoirse gan an sliogán a sheinm níos mó. Breathnaíonn sé ar an léarscáil ach gan mhoill, tá na páistí caillte sa choill dhorcha scáfar.

Agus Ben ag iarraidh fáil amach cá bhfuil siad cloiseann siad gnúsacht sa dorchadas. Téann siad i bhfolach ar eagla gur Macha agus a hulchabháin atá ann. Gnúsacht eile. Níos cóngaraí…

Ansin, léimeann meall mór de chlúmh bán agus liath amach

as na crainn. Cú atá ann. Bánn Cú na páistí faoi líocha áthais a bhaineann cigilt agus gáire astu.

Ansin buaileann smaoineamh Ben, má bhí Cú ábalta iad a aimsiú thiocfadh leis iad a thabhairt abhaile! Ceanglaíonn Ben an iall leis arís. Léimeann an madra mór amach as an choill scáfar agus déanann sé ar an bhaile.

Agus iad ag taisteal tugann Ben faoi deara go bhfuil Saoirse ag éirí tinn. Tá dath bán ag teacht ar a cuid gruaige. Níos measa, tosaíonn sé ag cur báistí. Feiceann siad tobar naofa, ach tá an cosán chuige clúdaithe le neantóga. Tógann Ben Saoirse ar a dhroim tríd na neantóga, ag sceamhaíl le pian a fhad is atá siad á dhó.

Sroicheann siad foscadh an tobair naofa. Scrúdaíonn Ben a chosa gortaithe. Téann Saoirse amach is faigheann sí copóga chun cuidiú le dónna Ben. Éisteann Ben leis an fhearthainn agus seinneann Saoirse ar an sliogán.

Tugann sí faoi deara go bhfuil na drithleoga á treorú isteach sa tobar, síos i ndorchadas an uisce. Tuigeann sí go gcaithfidh sí iad a leanstan ach nach dtig le Ben teacht léi.

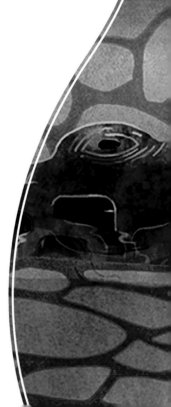

Tugann sí an sliogán do Ben, ritheann sí is tumann isteach san uisce. Tosaíonn Cú ag tafann. Tagann scaoll ar Ben. Caithfidh sé dul i ndiaidh a dheirféar, ach tá eagla air roimh an uisce. Socraíonn Cú cúrsaí don bheirt acu, tumann an madra isteach san uisce ag tarraingt an ghasúir bhoicht ina dhiaidh.

Agus Ben ag dul faoin uisce, briseann an iall agus tagann sé aníos arís in abhainn faoi thalamh. Ar feadh na mbruach tá lonnaíocht ársa tréigthe.

Tarraingíonn sé é féin isteach i seanbhád is cúlaíonn ón uisce. Tá Ben scanraithe agus ina aonar gan a mhadra ná a dheirfiúr bheag. Go dólásach, cuireann sé an sliogán ársa lena chluas is éisteann le monabhar a mháthar i gcéin.

Tógann sruth na habhann Ben isteach i bpluais, áit ina bhfuil seanduine gruagach ina chónaí. Tá iomlán na pluaise clúdaithe lena chuid gruaige. An Seanchaí Mór atá ann.

Istigh i ngach aon ribe gruaige, tá ceangal ann le scéal miotasach. Taispeánann sé scéal Mac Lir do Ben, mar a rinne a mháthair iarracht crá croí an fhathaigh a leigheas trína chuid mothúcháin a thabhairt ar shiúl. Taispeánann ribe eile go bhfuil ulchabháin Mhacha tar éis greim a fháil ar Shaoirse!

Tá Ben trína chéile gur lig sé do seo tarlú dá dheirfiúr. Dar leis an seanchaí áfach, má leanann Ben an ribe gruaige, tiocfaidh sé ar Shaoirse, ach beidh contúirtí móra ann. Tá rún daingean ag an fhear óg Saoirse a shábháil agus beireann sé ar an ribe.

Leanann sé é ar a cheithre bhonn trí tholláin uaibhreacha is síos aillte crochta.

Tagann Ben chuig uaimh ollmhór. Casann agus rothlaíonn na ribí fada gruaige thart ag taispeáint dó gach a tharla an oíche a d'imigh a mháthair: i ndiaidh di an sliogán a thabhairt dó is Amhrán na Mara a mhúineadh dó.

Feiceann sé mar a theith sí isteach san fharraige lena babaí a shábháil, mar a caitheadh Saoirse bheag aníos ar an chladach áit a fuair Conor í. Feiceann Ben mar a thóg a athair croíbhriste suas chuig teas theach an tsolais í agus feiceann sé mar a dhiúltaigh sé féin a dheirfiúr bheag an chéad lá riamh.

Caithfidh Ben rudaí a chur ina gceart agus ritheann sé chun tosaigh níos faide isteach san uaimh.

Faoi dheireadh tagann sé amach i ngleann dorcha. Tá teach beag sceirdiúil ann ar oileán i lár locha. Slogann Ben an eagla atá air, cuireann a spéaclaí 3-T air agus léimeann sé ó chloigeann go cloigeann ar dhealbha cloiche anonn chuig an teach, gach cloigeann ag tabhairt rabhaidh dó faoin chontúirt:

"Bí cúramach. Coimhéad na prócaí. Seachain Cailleach na nUlchabhán."

Radann Ben doras theach Mhacha isteach, réidh don troid. Istigh, tá seanbhean mhór ag ól tae cois tine. Caite thart ar urlár an tseomra, tá cuid mhór prócaí draíochta. Istigh i ngach ceann acu tá córas aimsire: néalta fearthainne, tuartha ceatha daite, grian lonrach. Ach cá bhfuil Saoirse?

Tá a dheirfiúr slán sábháilte, a deir Macha, agus thig léi cuidiú le Ben fosta.

 Míníonn Macha dó mar a chuidigh sí leis na síóga eile trína mothúcháin a thógáil uathu lena saorú ó phian. B'fhéidir gur mhaith le Ben fáil réidh leis na mothúcháin is measa atá aige. Cuimhníonn sé ar an oíche a chaill sé a mháthair. Tosaíonn Macha ar Ben a mhealladh ag cur cathú air. Nárbh fhearr dó a chuid tocht a ligint uaidh is a chur i bpróca draíochta.

Tafann Chú a mhúsclaíonn Ben ó gheasa Mhacha agus tarraingíonn sé ar shiúl ó phróca na caillí.

Ó thuas staighre atá an tafann ag teacht. Ritheann Ben in airde. Tá leath de chorp Mhacha ina chloch agus tá sí mall ag bogadh ina dhiaidh.

Éiríonn le Ben an lochta a bhaint amach díreach in am agus
plabann sé an doras druidte ar chloigeann Mhacha. Tá Macha
ag dul ar mire taobh amuigh den doras agus tá a cuid
ulchabhán ag iarraidh briseadh isteach tríd an fhuinneog.
Impíonn Ben ar Shaoirse a hamhrán a sheinm ar an sliogán
chun an prócaí a bhriseadh mar a rinne sí in uaimh na sióg.
Ach tá sí ró-lag. Cromann Ben a chloigeann agus gabhann
sé leithscéal le Saoirse: chuir sé an locht ar fad uirthi, a deir sé,
nuair nach raibh sin tuillte aici.

Le seo, cruinníonn Saoirse rud beag fuinnimh agus séideann sa
sliogán. Briseann an fhuaim na prócaí. Éalaíonn néalta fearthaine,
tuartha ceatha agus gathanna gréine amach as na prócaí draíochta.
Rothlaíonn siad isteach san aer agus ar ais chuig Macha, ag athrú an
tseanchailleach isteach ina seanbhean chaoin arís.

Cuidíonn Macha a bhfuil fuinneamh na n-óg inti arís le Ben, Saoirse bhocht agus Cú. Scaoileann sí amach a cuid spiorad-chúnna a chuidíonn le Cú rith le luas na gaoithe trasna na tíre ar ais abhaile chuig teach solais s'acu.

Tá dath an bháis ar Shaoirse is iad ag teacht chuig teach an tsolais. Ropann Ben síos chuig a Dhaid is iarrann sé cóta Shaoirse air.

Ach tá scaoll ar Chonor. Tógann sé Saoirse ina lámha. Caithfidh sé í a thabhairt go tír mór chuig an ospidéal. Cá bhfuil an cóta, a fhiafraíonn Ben dá athair. Screadann Conor ar Ben, corraí air, ag rá go bhfuil sé caite san fharraige aige. Baintear siar as Ben. Tá eagla air roimh fhearg a athar.

Isteach sa bhád le Conor, Ben, Saoirse agus Cú, iad ag déanamh ar tír mór. Tuigeann Ben nach bhfuil ach dóigh amháin ann le Saoirse a shábháil – a cóta a fháil. Baineann sé a veist tarrthála de agus tumann isteach san fharraige shuaite, dearmad déanta aige den eagla a bhí air roimh an uisce. Léimeann Conor isteach i ndiaidh a mhic.

Faoin uisce treoraíonn na rónta Ben chuig an bhosca ag grinneall na farraige. Níl sé ábalta é a oscailt. Le sin leagann ceann de na rónta an eochair os comhair Ben. Osclaíonn sé an bosca léi. Beireann Ben ar chóta Shaoirse go díreach agus Conor á tharraingt ar ais suas chuig an bhád.

Cuireann Ben an cóta thart ar Shaoirse agus labhraíonn sí a céad fhocal,

"Ben".

Cruinníonn Conor agus Ben thart uirthi, iontas an domhain orthu. Le sin, éiríonn spiorad-ghaoth agus le cuidiú na rónta, iompaítar an bád béal faoi is caitear na paisinéirí ar fad isteach san fharraige.

Chomh luath is a thumtar Saoirse faoin uisce, déantar éan róin álainn bán di. Caitheann Ben a lámha thart ar Shaoirse, í ina rón,

agus snámhann siad le chéile. Tógann rónta eile Conor agus Cú ag bogadh tríd an uisce ar ardluas.

Gluaiseann na rónta ar bharr na dtonn anonn go hoileán Mac Lir is tógtar an teaghlach chuig camas rúnda.

Cuireann Saoirse a cruth daonna uirthi féin arís ach tá sí fós iontach lag.

Cabhraíonn Ben léi Amhrán na Mara a chanadh arís, tá cuimhne aige air ón uair a ba ghnách lena mháthair é a cheol dó na blianta roimhe sin. Agus í ag canadh téann Saoirse ar foluain san aer, agus scaoileann an t-amhrán spioraid uile na síóg a bhí gafa i gcloch ar fud na tíre saor. Eitlíonn siad os a gcionn ina dtaispeántas mórthaibhseach, ag imeacht le sruth ar abhainn órga drithleog sa spéir.

Nuair a stadann Saoirse ag canadh, nochtar spiorad a máthar, Bronach. Tá sí tagtha le Saoirse a thabhairt léi go tír na sióg. Tá Ben agus Conor ag iarraidh ar Shaoirse fanacht leo. Insíonn Bronach dóibh go dtig le Saoirse fanacht, ach mar dhuine. Caithfidh an slua sí ar fad imeacht anocht.

Roghnaíonn Saoirse fanacht le Ben agus Conor. Tógann Bronach
cóta Shaoirse agus déantar gnáthchailín beag di arís.
Fágann Bronach slán brónach leis an teaghlach. Pógann sí Conor
agus Ben agus iarrann sí orthu cuimhne a choinneáil uirthi ina
gcuid amhrán agus scéalta.

Briseann tonn eile agus imíonn Bronach le teacht sholas na maidne.
Iomraíonn an teaghlach ar ais chuig teach an tsolais. Tá siad tuirseach
ach sásta.

Imíonn an t-am thart agus tá teach
an tsolais lán beocht agus dath arís.
Breithlá Ben atá ann agus tá an
teaghlach ar an trá dá chóisir.
Go díreach nuair atá Ben réidh leis
na coinnle a shéideadh, brúnn
Saoirse a aghaidh isteach sa cháca.

Téann Ben sa tóir uirthi amach san fharraige. Le chéile snámhann is casann siad thart ag spraoi agus ag súgradh leis na rónta. Níl eagla ar Ben roimh an fharraige níos mó: tá a chroí istigh inti, go díreach mar atá a chroí istigh sa spraoi a bhíonn aige le Saoirse agus Cú.

SCANNÁN LE TOMM MOORE CURTHA I LÁTHAIR AG CARTOON SALOON, MELUSINE PRODUCTIONS, THE BIG FARM, SUPERPROD & NØRLUM SCRIPT SCANNÁIN LE WILL COLLINS SCÉAL TOMM MOORE GUTHANNA BRENDAN GLEESON FIONNUALA FLANAGAN LISA HANNIGAN BEN RAWLE PAT SHORTT JON KENNY LÉIRITHEOIRÍ PAUL YOUNG AGUS ROSS MURRAY COMHLÉIRITHEOIRÍ STEPHAN ROELANTS ISABELLE TRUC CLEMENT CALVET FREDERIK VILLUMSEN STIÚRTHÓIR EALAÍNE ADRIEN MERIGEAU CEANNASAÍOCHT SCÉIL NORA TWOMEY STIÚRTHÓIR CÚNTA BEOCHAN FABIAN ERLINGHÄUSER STIÚRTHÓIR CÚNTA AGUS LEAGAN AMACH STUART SHANKLY LÉIRITHEOIR LÍNE THIBAUT RUBY CEOL BRUNO COULAIS I BPÁIRT LE KILA EAGARTHÓIR DARRAGH BYRNE BAINISTEOIR CUMAISC SERGE UME, DIGITAL GRAPHICS BAINISTEOIRÍ LÉIRITHE KATJA SCHUMANN FABIEN RENELLI CLAUS TOKSVIG KJAER I CARTOON SALOON COMHLÉIRIÚ MELUSINE PRODUCTIONS (LUXEMBOURG) THE BIG FARM (AN BHEILG) NØRLUM (AN DANMHAIRG) AGUS SUPERPROD (AN FHRAINC) LE TACAÍOCHT Ó BHORD SCANNÁN NA HÉIREANN ÚDARÁS CRAOLACHÁIN NA HÉIREANN TG4 SECTION 481 EURIMAGES LUXEMBOURG FILM FUND WALLIMAGES CENTRE DU CINEMA ET DE L'AUDIOVISUEL DE LA FÉDÉRATION WALLONIE-BRUXELLES DET DANSKE FILMINSTITUT DEN VESTDANSKE FILMPUIJE WEST AGUS DANSKE RADIO

BA MHAITH LEIS NA LÉIRITHEOIRÍ I CARTOON SALOON AITHEANTAS A THABHAIRT DON OBAIR CHRUA A RINNE AN DEARTHÓIR DESIREE MEADE, I GCUIDEACHTA CRISTINA BOJESEN, FABIAN EARLINGHAUSER JACKIE COLE AGUS COLM Ó SNODAIGH, I GCUR LE CHÉILE AN LEABHAIR ÁLAINN SEO.
TÁ MUID BUÍOCH DE WILL COLLINS A CHUIR A SCRIPT FÉIN IN OIRIÚINT DON LEABHAR AGUS DO MAURA MCHUGH AS AN OBAIR MHÓR EAGARTHÓIREACHTA A RINNE SÍ AIR.

TÁ AN LEABHAR TIOMNAITHE DON CHRIÚ A CHRUTHAIGH AN SCANNÁN. IS DE THORADH CHOMHOIBRIÚ IONTACH AN ILIOMAD EALAÍONTÓIRÍ CUMASACHA, AN EALAÍN AR FAD ATÁ SA LEABHAR.

ISBN: 978-0-9929163-2-9
CLÓBHUAILTE AGUS CEANGÁILTE IN ÉIRINN AG JOHNSWOOD PRESS, AONAD 4, BÓTHAR AIRTON, BAILE ÁTHA CLIATH 24.
LEABHAR DEARTHA AG DESIREE MEADE.
LEAGAN GAEILGE FOILSITHE AG COISCÉIM ,TIGH BHRÍDE, 91 BÓTHAR BHINN ÉADAIR, PÁIRC NA BHFIANNA, BÁC 13   -   WWW.COISCEIM.IE
EAGARTHÓIR MAURA MCHUGH.
LEAGAN GAEILGE PRIONSIAS MAC AN BHÁIRD.

TABHAIR AISEOLAS AR AN LEABHAR SEO:
CARTOONSALOON
WWW.CARTOONSALOON.IE